工場監督者が知っておくべき

製造現場のマネジメント

吉弘たけき
YOSHIHIRO TAKEKI

幻冬舎 MC

工場監督者が知っておくべき
製造現場のマネジメント

はじめに

私は高校を卒業し、地域では大きい会社に入社し、約15年間、監督者として工場で製造業に携わってきました。

この本を出版した理由は、これまでは仕事の進め方などの本はかなり出ていますが、現場のメンバーの心を読んで仕事をしていくような本がなかったことや、メンバー自身が自分を守る、監督者自身が自分を守りながらメンバーを育てるというような経験をまじえた本がなかったので、自分自身が経験し悩んで行動した事例を参考に問題解決の糸口になればと思い書いてみました。

最近は女性の監督者も増え男性のメンバーを育てる機会も増えてきていると思います。仕事のやり方だけ理解していてもメンバーの心理がわからないと統率することはできません。一人ひとり性格も考え方も違うメンバーを育てながらしっかりレベルを上げていくことを大事にしていきたいのと、これを読んで少しでも読者の皆様の参考になれば幸いと思い書く決心を致しました。
また、最近メンバーのコンプライアンス違反が増加し懲戒処分による退職も増えました。さらに優秀な人材も転職しています。メンバーを見ず、上ばかり見て行動し、早く出世しようとメンバーの気持ちやモラルも考えない上司が増え、さらにメンバーに任せっきりにして問題があれば怒り、罰することしか考えないので、メンバーのモラルは下がってしまいます。私は企業の優秀な人材を辞めさせないために、現場で働く監督者の人材育成に少しでも力になればと思い書きました。

メンバーを失敗させないように育て守るのが監督者の役割だと思います。そのためには法律を守りなさいだけではなく、なぜ守らないといけないか、失敗を防ぐためにはどうすればよいか、しっかり先を見て事例を挙げながら教え込むことが大事なのです。メンバーにストレスを持たせないために、監督者がしっかり愛情を持って教え込むことが重要です。

私が思うに、監督者としてやらなければいけないことはいろいろありますが、まず、経験することです。何でもよいです。経験に勝るものはないと言います。しかし危険なものもあります。特に、ギャンブルなどはその最たる事例だと思います。しかしメンバーが依存症になりサラ金でお金を借りるようになったとき、どうやってメンバーを助けたらよいのでしょう。メンバーが多い会社ほど良くある話です。私は、こういう時は同じ経験をしている監督者ほど、言葉の重みで、ある程度は納得させられることができると思います。ところが経験していないと、気持ちもわからないので言葉が軽くなり、逆効果になりやすくなります。人は誰でも興味が出るとのめり込んでしまいます。しかし、早く理性を取り戻すメンバーと取り戻せないメンバーがいます。これは監督者も同じです。誰でもなんにでも夢中になります。ギャンブルは、お金を犠牲にします。しかし自分の小遣いの範囲内でやればいいのです。しかし欲が出ると範囲を超えるメンバーや監督者もいます。のめり込むかのめり込まないかは、本人自身が、先を見てこれでは大変なことになると、早く気付くことができるか、できないかです。だからいろんな経験をしていると、メンバーを早く助けることができるのではないかと思います。

その次に必要なのは、監督者として法的順守の教育を受け、順守することです。自分を守るための大切なものです。よくあるのは、メンバーの適材適所、安全の配慮義務違反等です。何度同じことを言っても守らないメンバーには、その仕事はさせられません。それに目をつぶり、そのまま仕事をさせ大きな災害を起こしたら、安全に対して配慮が足りなかったという監督者の責任にもかかわってきます。

次に必要なのは監督者自身の資格取得です。メンバーを指導教育するくらいの知識は当然必要です。監督者は勉強し続けることが大事です。そして、どんなに忙しくてもメンバーに必要な資格を取得させるために計画を作成し受験させてください。多能化できるように計画的に取得させるとよいでしょう。ところが、QC（品質管理）の手法や、なぜなぜ分析（↓10ページ）の仕方、改善の仕方など会社でよく使うものは、監督者は知っていなければなりません。つまり不得手なものはしっかり監督者自ら勉強し、知らなければなりません。人任せにすると、メンバーも覚えようとする気は出なくなるものです。

次は、難しいですが、仕事中はどんなメンバーでも平等に接し、口論しても根に持たないことです。そして問題が起きたら隠さずに報告する、報告させることが重要です。監督者自身がわからないことは一人で考えず、上司やスタッフにも相談してください。そして後で述べますが、できる限り何でも標準化や業務をフロー化することです。そうすることで、どんな窮地になっても的確な判断ができ、わかりやすくなります。それで問題があれば改訂していけばよいのです。

そして、出勤時に工場内へ入る際は、毎日違うルートを通ることです。今日はなぜ実台車が多いのかとか、今日は台車が乱れているとか、機械がほとんど稼働していないとか、実態が見えてきます。生産がうまくいっているのか、故障しているのかがわかります。そうすることで変化点や兆候点（↓11ページ）が見えてきます。問題を早く見つけることで対策も打ちやすくなります。同じ出勤時間帯でも、工場内へ入るルートを変えるだけで疑問が出てきます。実態を見て、疑問を持ちなぜなぜ分析することが改善のカギと思います。

これから話すことをすべてはできないかもしれません。それでも、皆さんが悩んでいることがこの中にひとつでもあってヒントになればよいと思います。誰も教えてくれないことに悩んでいる監督者、リーダーにとって、人を動かす今後のマネジメントのひとつの指針になれば幸いです。そのコツ、考え方を経験談をまじえて説明します。メンバーがまとまり、モラルの上がる集団に少しでも成長してもらえれば何よりです。

※これから先は、言葉の使い方として、工場内で監督者より上を上司、リーダーを含めたところで「監督者」、現場で作業する人を「メンバー」という言葉でお話し致します。

本書を読まれるに当たって

本書では、工場におけるライン管理や、職場内での意識改革、さまざまな知識技能の習得のための勉強会などで使われている「用語」を用いて解説をしています。ライン管理に関する用語は多くの工場でも使われていると思われますが、用語に不慣れな読者もおられると思い、ここでまとめておくことにしました。本文中で意味のわからない言葉があった際に参考にしていただければ幸いです。

1　チョコ停

自動運転中の生産設備で材料が詰まったりズレたりしてチョコっと停止したり、標準作業以外での不稼働時間。手を出さなくてよいことになっているが、M／C（材料を送るコンベアなど）や材料の異常で手を出さざるを得ないために、ちょっと手を出す、手直す動作の時間のことで、会社によっては違いますが一般的に5分以内。

2　QC七つ道具

品質にかかわるさまざまなデータ（数値）を収集し、品質不良などを改善したり維持していくときに使うもので、パレート図、特性要因図、ヒストグラム、グラフ、散布図、管理図、チェックシートの七つがあります。不良を突き止めるために、チェックシートに記入し、優先付けをしたり、改善したら管理していくなど、製造現場ではよく使っています。

3　3S活動

整理、整頓、清掃の頭文字を取って3Sとしています。

整理とは、必要なものと不要なものを分け、不要なものを捨てることですが、何が必要かは監督者が判断基準をつくり決めることと思います。その結果、メイクスペース（新たな置場）ができ整理整頓しやすくなります。

整頓とは、必要なものを誰でもすぐに取り出せるよう、メイクスペースを活用し誰でもわかるように改善することです。

清掃とは、ゴミや汚れがない状態を維持することですが、清掃も改善しながら、ゴミや汚れがどこから発生しているか確認し、その発生源対策を進めることが重要です。これは簡単には改善できませんので、まず清掃を簡単にできるかから始めるとよいでしょう。

4 現場の4M

4Mとは（Man、Machine、Material、Method）の頭文字を取ったもので、（人、設備、材料、方法）です。4Mが変わったときに問題が発生する確率が高くなります。その問題点を分析するとき、4Mごとに層別し原因を特定していきます。

5 なぜなぜ分析

問題の再発防止に使います。安全、防災、品質、生産など幅広く使えますが、なぜを複数回繰り返さないと、原因にたどり着けません。慣れるまで教育が必要です。

6 ラインとスタッフとは

ラインとは一般的に直接作業しているメンバーのことです。スタッフは、ラインで発生した問題や不具合などを助ける専門的なメンバーのことです。専門スタッフは、ラインに問題が発生したり、相談や依頼事項など安全、防災、環境、品質、生産、設備面においてラインを強くしたり、困っていることを助けたりする係で、夜勤はなく日勤のみとなります。ラインは夜勤などありますが、スタッフに夜勤はありません。ラインとスタッフがうまくかみ合って良い製品が生まれてきます。

7　変化点

工程の中で4Mが変わるときに不具合や失敗が起きやすくなります。4Mの中で具体的に何が変化点かを決め、具体的にしていけば原因がわかり、それを標準化していけばよいと思います。

8　兆候点

工程の中ではいろいろな問題が起きますが、その前に何か別の現象を見つけることで、事前に手を打ち標準化し管理をすることができます。

9　運営体制

ひとつの工場には工場長、部長、課長、そして現場には主任がいます。ここまでは夜勤はありません。そしてラインの監督をする監督者がいます。ラインは全部で4班あり、夜勤があります。24時間を8時間ごとに区切り、ライン別に作業しています。

A直、B直、C直、D直と分かれています。A直は8時から16時まで、B直は16時から24時まで、そしてC直は24時から8時までの時間帯です。D直は休日となります。この直ごとに監督者が1名配置されています。つまり、一工程で監督者が4名います。ラインが5工程ほどあれば20名いることになります。

心理を使うマネジメント

小さな問題大きく騒いで共有化 仕組みを作って再発防止

・標準を守る事が自分の身を守る。
・元気な挨拶と現場の３Ｓ状態が基本

心理を読んだマネジメント

日々の管理（申し送り・現場巡回）
小さな管理
↓
異常作業をさせない現場作り

対策を打ちにくい問題
表彰制度
↓
事実がわかる仕組み作り

■ポイント
◇なぜ発生したか　人の要因、設備、方法、材料？
　放置すればどうなるか（防災･安全･品質･生産･環境）考えさせる
　火災･安全・品質生産面に大きな影響の発生する問題なら大きく騒ぐ
◇常にＣＯＰＱを考える（誰にどのくらい迷惑が掛かるか）　全員へ教育する
◇常になぜなぜ分析
◇申し送りは必ず原因を書かせる。何が問題か（応急対策と恒久対策）
◇その日に全員へ教育する必要あるものは、ワンポイントなり４Ｍ変更などで次の日に点呼時全員へ教育しサインを取る
◇指導はこのくらい知っているはずでは技能員全員までの教育はできない
　知らないと思って作成教育することが基本
◇チョコ停は災害の要因。火災･安全面･品質面に大きな影響があり結果生産が落ちる

■ごまかされないマネジメント
◇指示した項目は必ず指示通りにやっているか、必ずモニタリングする
◇誰がやったかわからない時はわかるように仕組みを作る。範囲、担当、実施日、確認日等
◇原因が摑めない時は本人と一緒に再現し検証し原因を見つける
◇報告してこない問題が多い時はあきらめないでカメラを仕掛けたりして必ず事実を発見する
◇報告してきた人は絶対に叱らない。ほめる。また、当たり前のことでも異常などを報告した人等多方面にわたり表彰する制度を作る（現状がわかれば対策が打てる）

マネジメントのすべては現場が証明する

※ COPQ とは
Cost Of Poer Quality の略で、品質不良や欠陥エラーのために発生する無駄なコストのこと。
不良品の改修費用、再生産や再検査にかかるコストなど。

目次

Part 1

私の話

Part 2

監督者のやるべきこと

Part 3

メンバーを成長させる

Part 1

私の話

テーマ1：私の話① 監督者になったきっかけ

ここで私の話をさせてください。私のいた会社は工場が数多くあり、約600人ほどのメンバーが働いています。工場は原材料を購入し、製品を作るための部分的な材料を作り、組み立てていくためにいくつかの工程があり流れ作業となっています。その材料を運搬する人や製品を検査する人など職種もさまざまです。深夜勤務もあります。また夏場は機械の温度が高く暑い工程もあります。逆に外での作業のため冬場は非常に寒い工程など極端です。

私が監督者と呼ばれる役職に就いたのは、34歳のときです。入社したての頃の私は監督者になろうとは一切考えていませんでした。そんな私が監督者試験を受けたきっかけは、ある日の出来事が原因でした。材料の異常が発生し不良品が出ていました。ある監督者が上司から本当にそのメンバーから報告がなかったのですか、という質問をされていました。

そのときにその監督者は上司に「報告はありませんでした」と答えていました。私はそれを聞いて、そんなはずはないと思い、現場へ下りてそのメンバー本人へ聞き込みに行きました。トラブルが出ているけどなんで報告しなかったと聞くと、「えっ、接着が悪いのでどうしたらいいですかと監督者へ連絡したよ。そうしたらそのくらいならいいと確認もしないでOKの返答がありましたよ」と言いました。結局監督者が上司から叱られるのでウソをついていたのです。そしてその上司も監督者から聞いたことを信じて、メンバーへの確認もしていません。こんな上司や監督者がいる工場で仕事をしていたら、メンバーは一生懸命やっても浮かばれないな、これは絶対監督者にならないと馬鹿らしい、と思って監督者試験を受けました。これが監督者を目指したひとつのきっかけです。

監督者になったら、どうしたらきちんと報告し、また聞いていないというウソがつきにくくするにはどうしたらよいかの対策を考えました。監督者自身がメンバーから報告を聞いていても忘れたり、自分の判断で問題ないと思って行動しないことがあります。また問題が表面化した際に上司から叱られるので正直に罪を認めない監督者もいます。メンバーの身を守るためにはどうすればよいか。私が思いついたのは二人で報告するということでした。現場から上司へ口頭で報告するときに大事なことは一人では報告しないことです。

必ず仲の良いメンバーと2名以上で報告することが大事なのです。なぜなら報告したことを証明できるからです。一人だけでは、聞いていないと言われたら証明できず水掛け論になります。そうならないように、重要な報告するときは証人を付けることが大事です。私はメンバー全員へそう指導しました。また、報告漏れがないように、疑問に思ったことは何でも連絡するようにも伝えました。こういっても個人間で捉え方が違うので、トラブルが出ないように、規格や不良が発生するメカニズムを4Mで何度も教育し不良品が出ないようにしました。また、品質以外でも、些細なことでも何でもよいので連絡するようにメンバーへ頼みました。

テーマ2：私の話②　監督者になったときの目標を忘れない

先ほど私が監督者を目指した理由を語りましたが、正確にはもうひとつあります。それは出世欲です。私の年代は監督者の試験を受けるメンバーは皆無でした。朝は早く、帰りは遅い、メンバーと上司との板挟みが多いためです。しかし、私は仲の良いメンバーが働きやすい現場に自分でしてみたいという気持ちがありました。これだけは昇進して上司にならないとできません。

私は、監督者の経験は、主任も含めると15年あります。監督者になりたての頃は同じ部署でメンバーの性格もわかっていたので順調でした。監督者の目的はメンバーを育てることだとわかっていたつもりでした。しかし、必要人員が常にマイナスで毎日不足分を残業で補っていました。これで一人休んだら残業4名増加です。年休の他にもう一人突発で休めばほぼ全員が残業となります。遅れそうなときは早出をかけたり、休日出勤をかけたり、計画的にできず人の手配が大変でした。しかしバタバタしながらも即断即決ができるようになり、トラブルが起きても欠員が出ても対応できました。ただ、冠婚葬祭以外の突発的な欠勤だけは避けるためにメンバーとしっかり話し込みました。コミュニケーションをとりながら、困っていることも含め期待に応えながら性格を掴むことができてうまくいくようになりました。

ところが、数年後に部署の統合化がありました。新しい部署が追加され、そこには11名のメンバーがいました。同じ年代は1名で、あとはすべて年配者で初めて接する人ばかりです。教育などあまりできておらず、最初は非常に苦労しました。つまり、メンバーの性格がわからないと、何か問題があったときに有効な対策が打てなくなるからです。これができないから人に任せて逃げたくなるのです。あるいは気にしなくなるのです。そして、その考え方、行動自体が常態化してしまうのです。

監督者になろうと思ったときの心意気、初心をすっかり忘れてしまっていたように思います。しかしこれは、後で監督者自身にしっかり跳ね返ってきます。監督者である以上、絶対に逃げられないのです。真の監督者に少しずつでも近づいていく努力をするべきです。

Part 2

監督者のやるべきこと

テーマ3：メンバーを出勤した体で家に帰すことが責務

ある日のこと。作業終了後に私が組合の説明をして、最後に意見を聞いたときでした。ある先輩が「うちの会社は帰りが遅い、公務員は時間になるとすぐに帰れる」と嫌みを言いました。私は公務員になりたいなら早く辞めて公務員試験を受ければいいと言いたかったのですが、それでは売り言葉に買い言葉で前に進みません。

それで、遠回しに「それはその通りと思います。公務員は一人ひとりの仕事なのでいつでも早く帰れます。しかしここは会社なのでメンバー全員の安全を確かめないと帰るわけにはいきません。誰かが遅く事務所へ上がってくれば何があったのか心配ですし、問題なければ早く仕事が終わるように改善したりして助け合わなくてはいけません。会社は個人プレーでなくチームプレーです。皆さんもこの会社で働いて生活が成り立っていると思いますので、チームプレーでお願いします。もし私の頭が良かったら当然公務員を受けています」と言いました。

すると、その先輩は苦笑いし何も言いませんでした。やはり、会社はこうあるべきという信念を持ってハッキリと答えて対処すればいつかわかってくれる。本音で説明すれば理解してくれるし、文句も出ないと確信しました。

常日頃から「自分の班が効率良く仕事ができても、工程で作業する人や班に迷惑をかけないようにすることが大事です。そうなりそうなときはすぐに連絡してください」と口酸っぱく言ってきました。これは自分の班のメンバーが後ろ指をさされるのは嫌だからです。自分の班の成績がいくら良くても、他の班に迷惑がかかっていては何の意味もありません。全体を見るべきです。

ところが、ある日、材料を運搬するメンバーが一人だけ帰りの点呼の時間に事務所に上がってきませんでした。怪我をしたり、何か問題が起きたのではないかと心配し、私は全員を待たせて現場を探しに行くと、まだ材料の入った台車を運搬していました。なんで仕事をしている？と聞くと、本人は「いや、今日は前工程の生産予定が多く台車を運びきれませんでした。後の班に迷惑をかけるので、あと3台運んだら上がります」という返答でした。そういうときは他の人にも応援させるので連絡してほしいと言うと、「すみません、もう少しで終わるので連絡しませんでした」と正直に答えてくれました。気持ちはわかります。他の人に迷惑をかけるという気持ちが強かったのだと思います。この件はそれ以上は何も言いませんでした。帰りは、残業者以外は全員そろって連絡事項を説明し家に帰します。一人でも足りないと心配です。怪我をしたり何かトラブルに遭っていないか心配です。

監督者はメンバーを出勤した体で家に帰すことが重要な責務です。

テーマ4：メンバーの難題に積極的に取り組みモラルUPを

先ほどの一人で残業をしていたメンバーですが、その後は指示した通りに動いてくれるようになりました。結果的に後の班に迷惑をかけられないということを守ってくれたと思います。彼は能力的には低いメンバーでしたが、努力をしていることが一目でわかりました。そこで私は、努力してレベルが上がってきたら当然月次評価（頑張った人に給料をプラス評価する仕組み）を上げるべきと思い、月次評価を上げる予定だったレベルの高い年配者に、今回は彼が頑張っているので代わりに上げてやりたいと相談したら「ぜひお願いします。あいつは、毎日努力して頑張っているから上げてほしい」と応援してくれました。

その結果、彼はレベルが少しずつ上がってきました。普段、レベルの高い人はいつも高いが、一方でレベルの低い人は人一倍努力しないとうまくいきません。つまり責任感のある人は、最初は能力は低くても努力するので、レベルは少しずつでも上がってくるものだと思いました。そういうときは逃さずに月次評価を上げてやるべきと思います。これでモラルが上がり底上げができれば、全体のレベルも自然と上がってきます。

別のメンバーのお話です。あるメンバーに大変な出来事がありました。本人から相談があるので聞いてほしいと連絡が入りました。話を聞いてみると、実は早期退職したいという相談でした。なんで?と聞くと、実は自分の子供が、数人の友人やサラ金からお金を借りて返さないので訴えると言われている、ということでした。確認すると、その金額は合計で600万円、今返せるお金ではない。そのため、早期退職して退職金を当てたいというのです。

銀行から借りたらと言ったのですが、「保証人が要るので恥をさらすことにもなり、それよりも退職金のほうがよいのでとにかくお願いします」と本人は決め込んでいました。会社から借りたらと言っても、「いやいいです。早期退職のほうが余計にもらえるのでお願いします」の一点張りでした。当時会社には早期退職すると約400万円ほど退職金に加算される仕組みがありました。本人の決心は固いようでした。しかし、そのあとの仕事を見つけることが難しい時代だったので、「わかりました。上司に雇ってくれるように相談します。許可が出たら、アルバイトになりますが、また同じ仕事ができますか」と聞いたら「ぜひお願いします」との返事でした。このやり方が、結果的に良かったのかどうかわかりませんが、本人はいつもと変わらずに仕事をしてくれました。

私は会社でいろんな経験をさせてもらいました。完璧に対応できたのかは今でもわかりません。ただ言えることは、人を預かっていればさまざまな問題が降りかかってきます。しかしこれは人生での勉強だと思います。たくさんの経験を積むことで視野が広くなり、どんな火の粉が降りかかろうと切り抜けることができるのです。経験に勝るものはないと思いました。難題から逃げずに、むしろ立ち向かっていく勇気が必要だと思いました。

テーマ5：「人間は必ずミスをする」を前提で対策を打つ！

監督者になって数年。いろいろと試しながら、また、失敗もしながらコツコツとやってきた結果、仕事が楽しくなりました。これは私の経験からです。現在は監督者も若くなり同じ悩みがあるのではないか、と思います。私が思う監督者の理想像は、仕事を行う上で、メンバーの能力を引き上げ、信頼関係を築き、仕事がやりやすいように環境を改善しながらメンバーを守りやすい作業標準を作り、楽にスムーズに仕事ができるようにすることです。仕事をする中で、わかりやすい作業のフロー図（手順）などを作り、新人が来ても誰がやっても、間違えないようにすることと思っています。つまりリスク管理をしておくことです。メンバーがトラブルを起こしたりしたら、必ず**4M**（人・設備・材料・方法の略）を含めた要因について**なぜなぜ分析**をし、原因を見つけては対策、試行、対策を繰り返し、メンバーに同じ失敗をさせないことです。メンバーは家族と思うことで、監督者の皆さんの行動が必ず変わってくるはずです。責任者として、メンバーが問題を起こした、メンバーがルールを守らなかった、ではなく、監督者がメンバーに問題を起こさせた、監督者がルールを守らせきれなかったと、常に反省すべきです。都合の悪いときだけメンバーのせいにしてはいけません。人間は必ずミスをするものです。メンバー任せでは必ず失敗します。完璧な人はいません。だから、日頃からメンバーの行動や表情などをしっかり見て、失敗する前に助けることが大事です。ルールを守っているかなど、陰で見守ることは漢字の「親（立木の横から陰で見守る）」と同じなのです。必ず**変化点**を見つけたり**兆候点**を見つけて、ハード的にできるものは改善する。関所を設けないといつか必ず失敗し、家族を守れなくなります。

テーマ6：知識と意識と行動は別物

セクハラ、飲酒運転、暴力、パワハラ、災害や品質トラブルの隠蔽など、さまざまな社会問題が発生しています。

その大きな原因は、監督者など上司がさまざまな経験を積んでいない若い世代に変わり、メンバーへ噛み砕いて説明できず、上層部から言われた通り一遍の説明で終わるために、メンバーの知識、意識、行動までつながっていないのではと思います。知識と意識と行動は別物です。

品質で言えばQC手法、安全、防災で言えば、法的教育、資格、RA、KY、3S、難しい熱中症教育、会社のルールなどがあります。そして知識を身に付けるのと実践するのとは、違います。いくら知識を身に付けても実践する意識がないと行動できません。意識があっても実践しなければ意味がありません。ここが大事なところです。

例えば、コンビニの駐車場で「事故が多いのでバック駐車をしてください」と言われても、なぜなのかわからないし守りません。駐車場へ入るときは前方駐車が便利です。しかし買い物が終わり出るときには、ドアを開ける、買った物を置く、エンジンをかける。シートベルトをつける。このときには周りの状態は変化しています。そこで、バックで片方しか見えず出てしまいます。これなら当然事故が多いわけです。逆に最初にバック駐車をしておけば、すぐに発車できます。ただし左右の車と人には注意は必要です。

このように、守れと言っても、なぜなのかを教育しないと知識があっても意識がされないので行動に現れません。だから本当に守っているかは現場で確認しないとわかりません。交通関係は会社外なので確認できませんが、社内ではモニタリングが重要です。守っているかは隠れて見ること。監督者の姿を見せれば殆んどのメンバーは守るでしょう。肝心なのは、誰も見ていなくても守っているかです。守っているところも、守っていないところも見てやらないと最後には誰も守らなくなります。それが人の心理なのです。これができないと問題が当然発生します。監督者一人ではメンバー全員は見られません。そのために、本当に守っているかをウェブカメラや巡回のときにしっかり確認することが大切です。ただ、結果が出て守っていないことがわかる場合もありますが、失敗してからわかるのでは遅いのです。自分の目で確かめ、守っていたらきちんと褒めることが大切です。

テーマ7：上司のことばかり気にする監督者にはなるな

上司によって発言が異なるという問題があります。上層部が多いと当然性格も違い、同じ上層部でも、こんなところに文句をつけるのかとか、大したこともないようなところで指摘をし、好き嫌いがかなり出ます。これは、監督者やメンバーにも同じことがいえます。だからこそ信念通りに行動している監督者とそうでない監督者とで、上を向く割合が変わるのです。

自信があればそんなに気にする必要はありませんし、上司もメンバーもしっかり見ることもできます。偉い人を知っていないと、何かあったときに拾ってもらえない。だから上を向くなど、自分の仕事に自信のない人ほど行動に現れてくるのです。でも自信過剰もいけません。やはり礼儀は守らないといけません。これは最低限大切なことです。

好き嫌いは人間なので仕方ないのですが、これでは全体を統率することはできません。納得できないような指摘を出すのは逆効果だと思います。上層部は確認などで工場内に入ったら当然欠点が目に付くことがあります。これは見るべきポイントがそれぞれ違うので仕方ありません。完璧な人はいません。ましてや工場には約６００人ほどのメンバーが働いているので、全員を完璧に統制することはできません。工場ごとに現状を確認し、現状から手が届くところに第一目標を立てて段階的にレベルを上げていくことが大事ではないでしょうか。二度手間にはなりますが、しかしレベルは上がってくると思います。失敗があって当たり前なのです。人は失敗から多くを学ぶものです。

問題なのは、上層部が機嫌が悪くなったり叱りだしたりすると、そちらのほうばかり気にして、現場のメンバーを育てるほうには関心がいかなくなることです。また監督者も上層部の顔色ばかり気にするようになってくるといろんな問題が増え、次々に発生する問題に追われていくのではないかと思います。

間違っているかもしれませんが、上層部の考え方のバラツキは少しでもすり合わせていくべきと思います。そして指摘は後ではなくてその場でしたり叱ったりすることが大事です。その後の飲み会や意見交換会などでなぜあそこで叱ったのか、しっかり指導し、大きい声を出してすまなかったと心から正直に謝ることも、メンバーを活性化させる非常に大切なコツだと思います。偉い人がわざわざ謝ってくれたことが印象に残り、「よし、また頑張ろう」という気が出てきます。理にかなった叱り方は誰でも認め、やる気も出てきます。工場も生き生きとしてくるでしょう。そして上層部から下へ考え方も一気通貫させることが会社を100年以上存続させるために重要だと思います。そうすれば会社はこうあるべきという信念を構築させることができるのではないでしょうか。会社全体がわかり、初めてひとつにまとまっていくのです。その考え方を下へしっかり落とし込み、階層ごとにやるべき標準を作って、教育、実践、フォロー、改善していくことが重要です。どんなに自動化が進んでも、それを直したり使うのはあくまで人です。重要なことは、人をいかに育てるかではないでしょうか。企業は人がすべてなのです。

テーマ8：若い監督者は初心を忘れずメンバーと当たって砕ける勇気を

若い世代には、経験の少ないまま昇進しているのでメンバーをうまく働かせる術《すべ》がわからないという問題が往々にしてあります。トラブル対策でもメンバーのニーズがわからない、現状がわからないので報告書を早く出そうと工程のことをよく考えず、ズレた対策になっている。また、年配者の気持ちがわからずうまく使えない。また、逆に顔色ばかり気にして当たらず障らずの行動をとる。年配者からみんなの前で反対意見を言われると、意見を言っても突っ込まれるし、返せないので恥ずかしいし、強く言えば今後のマネジメントに影響するなど、表面のことばかりに気を取られているのではないかと思います。

一番重要なのは逃げてはいけないということです。誰でもそんな気持ちはあります。しかし、逃げていてもずっと逃げ続けることはできません。結果として、実力がつかず、監督者を外れ、違う職種に就くのです。俺は監督者だと心の中で威張っている、プライドがあるので、言葉と行動にズレがある。メンバーを育てるということ自体全く理解していない。メンバーとコミュニケーションをとらないので性格もよくわからない等、ある面は理解しているが、ある面は理解していない。こういう監督者は、後でパワハラなどで必ず問題が出てきます。

具体的な解決法として一番メンバーが喜ぶのは、チョコ停（標準作業以外での不稼働時間。手を出さなくてよいことになっているが、M／Cや材料の異常で手を出さざるを得ない。ちょっと手を出す、手直す動作の時間）やトラブルを直し、作業をやりやすくすることです。それがコミュニケーションにつながり、会話が始まります。まずここからコツコツと始めていけば、メンバーの気持ちも変化してきます。

メンバーが連絡してきたチョコ停を直さずそのままに放置すれば結果として不稼働時間が積み重なり稼働時間は減り、当然生産が落ちます。また、手を出す動作が原因で災害が発生しやすい。手を出す行為は災害を発生させる一番の要因です。チョコ停が多ければすぐに災害につながります。メンバーが困っていて原因がわからない時はビデオカメラ等を設置して見つけ、早めに対策することが非常に重要です。不具合を早く治すことでメンバーは楽になり、結果スムーズに生産できてくるので喜ぶでしょう。

このようにメンバーの困っていることを改善する。その結果、監督者とメンバーの信頼関係が築かれてくるのです。それがわからない監督者がどんどん増えてきています。経験が少ないのでこうあるべきという考え方、信念が乏しく、文句を言われないように上ばかり見て仕事をするので、メンバーと話もせず、ますますメンバーの心理を掴めなくなります。つまり結果ばかり気にして、上司から叱られないようにする方法ばかり考え、その日暮らしをしている。こんなことでメンバーのモラルが上がるとは思えません。

監督者は、空いている時間はなるべく全員のメンバーと接し、困っていることはないかなど雑談でもよいので必ず話すことが重要です。そこからコミュニケーションが始まり、それを続けることでメンバーの性格もわかってきます。そうすることで相手を理解できますし、自分の考えも話すことでお互いが少しずつ理解し合えるようになってきます。監督者として失敗をさせないためには、メンバーを大事にすることです。簡単に信頼関係はできません。若ければ当然年配者からは抵抗が出てくるものです。そのためには長い年月がかかります。同じ考え方、納得いく理論と行動が必要です。

ハイとすぐに返事して行動するイエスマンには要注意です。必ずそのメンバーは行動を確認してください。意見を言わないメンバーは何を考えているかわかりません。逆に、しっかり本音を言うメンバーは重宝ものです。仕事自体を良くしたいから強い意見をぶつけてくるのです。そんなメンバーにはいろいろと本音で監督者が困っていることなど相談を持ちかけ、考え方を聞くことが重要です。メンバーの得意なところや不得手なところもわかって、メンバーの心も見えてくるでしょう。監督者たるものはいろんな経験を積むことでメンバーが困っているときに、良いアドバイスができると思います。

テーマ9：メンバーの性格はコツコツと試しながら見極める

上司や監督者の前では話を合わせるものの、陰では悪口を言うメンバーも多くいます。この上司は騙せると思ったら、メンバーは平気で嘘をついてきます。都合のいいことを言って現場をかく乱し、上司や監督者の前では平気でゴマをするわけです。監督者の皆さんはこういうメンバーに注意することが重要です。なぜなら、他のメンバーはそのメンバーが嘘をついていることを知っているからです。その状況で騙されてしまうと監督者の威厳が損なわれ、チームをまとめることができません。

こういう場合は、そのメンバーをしっかり観察し、言っていることが本当なのか、後で必ず確認することが大事です。常日頃からメンバーの表情や外見、目などを観察していれば嘘は見抜けます。見抜けない嘘もありますが、私は他のメンバーに聞いたり、わざと重要な話を作って話します。その後にそのメンバーと仲がよいメンバーの表情や行動を見ていれば、話が漏れたかはわかってきます。

試してみることも重要です。毎日を振り返っていれば、異常に気づくようになります。なぜあんな言葉を言ったのか、なぜ驚かなかったのかなど、おかしい面も出てきます。そういう意識を持って接していけば気づきます。そうすることでなるほど、と原因がわかってきます。過去に捉われず一歩一歩前に進んでください。失敗は成功の元です。ピンチをチャンスへ変えていってください。

また、メンバーに同じ業務をさせてみて観察するという方法もあります。例えばメンバーの4人に、どこどこの清掃を5日以内にしてほしいと4人それぞれ違う場所を指示したとします。このときに、毎日必ずフォローします。するとメンバーの性格がよく見えてきます。指示されたことを忘れてしまうメンバー、しっかりやっているメンバー、清掃はしているがあまりきれいではないメンバー、最終日に確認するとキチンとできているメンバーなどさまざまな性格が表れます。

ただ、1回だけでは判断はできません。このように指示した項目を毎日フォローすることで、メンバーの性格も少しずつわかってきます。こうなると、サークルを作りチームを編成したり、小集団を作るときに性格を読み適正な小集団編成ができてきます。これだけでは見えませんが、いろんな事例を加えると見えてきます。ぜひ試してみてください。

テーマ10：監督者の良し悪しは現場が証明する（百聞は一見に如かず）

現場が汚い、台車類が乱れているのは、監督者及び上司のマネジメントの悪さによるものです。監督者とメンバーがうまくいっているか、マネジメントができているかは現場の状態を見れば、一目でわかります。それは現場が証明しています。

まず台車や部品、材料がきちんと並んでいるか、防火シャッターの下に物が置かれていないか、消火栓の前に物が置かれていないか、避難口の前に台車が置かれていないか、ラインの外に台車がはみ出していないか、メンバーが走って作業していないか、通路にゴミが放置されていないか、車両にキズや凹みがあるかなど、さまざまなところで、不安全行動、ルール不順守の結果が状態となって現場には現れるからです。そういう現場はルールを守っていないのに監督者も放置している、と思われます。また、挨拶にしても同じことです。

3S（整理、整頓、清掃）だけではありませんが、メンバーにしっかり教育がされそれを守っているかのフォロー、モニタリングをしないと行動が伴いません。ルールを守っているメンバーは監督者に見てほしいので守りますが、一生懸命やってもあの監督者は何も確認しない、見ないのでやらない方がましと思うようになると、メンバーのモラルが下がり最後は誰もやらなくなります。こうなると監督者が代わらない限り元へ戻すのは難しくなります。信頼関係がなくなったということです。

メンバーに対して、しっかりフォローし、注意、指導を繰り返し、守っているメンバーは褒めてやらねば人は育ちません。必ず監督者からフォローされると思わせることが大事です。必ず見に来るのでやらないとまずいと思わせることで、メンバーは指示されたことをしっかり守るようになります。

テーマ11：メンバーと信頼関係を築く

私がメンバーだった頃、仲間のメンバーからよく耳にしていたことがあります。A監督者は意見を言っても何もしてくれない。数人のうるさいメンバーには対応するが真面目なメンバーには何もしてくれない、言うだけムダ。言わないほうがいい。B監督者は朝礼では気の利いたことを言っているが、自身の行動は全く逆、自分がしないのにメンバー全員の前でよく言えるね、など、いろんな監督者の悪口を耳にしてきました。

やはり監督者は、メンバーからの不具合や困りごとは一人ひとり聞く耳を持って聞き出し、必ず真摯に対応することが大事です。よくわからなくてもよいのでうなずきながら、いつまでに改善できるのか、納期や現在の問題、要望などを確認していくことが大切です。ザクッとでもよいので、まず改善納期を連絡しておきます。つまり事実を確認する時間をとり、現状を把握して対策しないと大変なことになるのです。しっかり事実を確認した後に、わからないときはまた本人と話すことも重要なことです。無理な要望もあるかと思いますが、それはそれなりに応えるべきです。難しいのであれば、それは安全や品質面でリスクがあるのでちょっと難しい、などしっかり説明することです。

もし、メンバーが監督者に連絡していたにもかかわらず放置され、何の連絡もなければメンバーはどう思うでしょうか、それが一人だけならまだしも数人いれば、あの監督者は言っても何もしてくれないので、「何も言わない」となるでしょう。これでは不具合だけではなく、情報や報告、そして現実までもわからなくなってしまいます。報告しないようになったら、大きなトラブルの前兆です。何も言わないのでうまくいっていると、監督者は勘違いするかもしれません。そうなると気づかぬうちに現場は汚くなりトラブルも増え誰がやったかも特定できなくなります。マネジメントが後手後手になり手に負えなくなります。

これは逆にメンバーの立場になって考えればすぐにわかると思います。メンバーからの困りごとで無理な内容については、予算申請しているが通るかわからないので確認でき次第連絡するとか、いつ頃までに直すとか、上司と話しその結果を連絡するとか、きちんと途中経過をメンバーへフォローすることが大事です。コミュニケーションはしっかり漏れなく取りましょう。ただしその困りごとを改善するメンバー、場所が必要になってきますので組織的に動かないといけなくなります。そうしないと困りごとだけ聞いて、改善が当然追いつきません。そうなるとむしろ逆効果となりますから、しっかり体制を整えて対応することが大事です。

上ばかり見てメンバーを見ない監督者は大勢います。しかしメンバーは働くことで結果的に監督者以上を扶養してくれている大切なメンバーです。また、家族なのです。メンバーが仕事をしてくれているから給料がもらえ生活できるのです。そういう考え方で仕事をすると自然とメンバーを見るようになります。品質の良い製品を必要なだけ無駄なくタイムリーに生産し、必要なだけ供給して初めて会社は成り立ちます。

つまりメンバーが問題なく毎日の仕事をスムーズに終えて、出勤してきたときと同じ体で家に帰すことこそがマネジメントなのです。それを忘れずにしっかりメンバーの意見を聞く耳を持って、自分がメンバーだったらという思いで、相談に乗ってあげてください。私は見るべきは、メンバー7割、上司3割くらいではないかと思います。その姿勢こそメンバーが監督者へついてくる、信頼が生まれる基本中の基本（秘訣）ではないかと思います。ぜひ実行してみてください。

テーマ12：監督者は法律や社内ルールを必ず守ることが大前提

監督者は自ら法律や社内ルールを守らないといけません。なぜならメンバーの手本、親だからです。メンバーは監督者の行動をしっかり見ています。例えばメンバーが10人とします。監督者が10人見るのは難しいですが、メンバーから見れば1人だけなので簡単です。メンバーは監督者の一言一句を聞き漏らさず、行動を逐一見ています。メンバーから見られていることを常に意識してください。いくらルールを作ってメンバーに守るように言っても監督者が守らなければ、メンバーも守らなくなります。いくら立場が上でも上が守らないのにメンバーだけ守れでは、どんなにメンバー自身を守ることでも守らなくなり、結果的に問題を起こしたとき助けることはできません。監督者はメンバーにいつも行動を見られています。すべてを守るといっても難しいと思いますが、守る習慣をつける努力をお願いします。

テーマ13：好き嫌いは仕事中には絶対に出さない

監督者は嫌いなメンバーがいても、絶対にそれとわかるような、行動を見せたらいけません。相手は嫌われていると思い、今後はどんな言葉を言うか、また言葉と行動が伴っているかしっかり監督者を見ています。その言葉と行動の違いを悟られると、どうせいくら頑張っても嫌われているし、査定（月次評価）も上がらないので適当にやろうということになります。監督者の目が届かないところで、手を抜きます。それが監督者にはわかりません。メンバーに聞いても、調子が悪いとか材料が悪かったとか言い訳をして逃げられるからです。その結果メンバーの底上げもできず成果は出ません。こういうときはしっかりコミュニケーションをとりながら、本音で話すことです。良いところを見つけて評価し、困りごとなど親身になって対処すれば、モラルも上がり必ず信用が生まれてきます。そして信頼関係ができてきます。

仕事は常に平等に見ることが大切です。そうすることで、結果的にモラルの底上げができ、稼働率や品質レベルも上がってきます。これには監督者の考え方や好き嫌い、年配者の評価を落とせない等さまざまな思いが入るので非常に難しいことです。あの監督者の下で頑張って意見もいろいろ言ったので嫌われているだろうなと思い込みがちなメンバーもいます。しかしそういうメンバーこそしっかり話しかけ、雑談しながら困りごとなどを聞き出し手を打ってやることが大事です。試してみてください。

テーマ14：小さなことでも大きく騒いで再発防止

これは私が実際に疑問に思ったときにメンバーに確認しわかったことです。仕事の最終日になると、必ず問題が起きます。報告しなくてよい小さな問題です。しかしその問題はやがてすぐに報告すべき大問題に発展します。

なぜいつも最終日になると起こるのか、正直に書いてもらうように無記名でアンケートをとってみました。そうすると最終日は、友達との約束があるとか、早く作業を終えて早く家に帰りたいなどという焦りがあるようでした。放っておくと大きなトラブルにつながります。つまりトラブルを起こしたメンバーを犠牲にしてしまうのです。

だからなぜ起きたかを監督者自身の管理要因を含めたなぜなぜ分析をして対策を立てる必要があります。それで、最終日はサークルなどもせずに、早く帰すことにしてみました。これは、トラブルの報告が減ってきたときに出てきた問題です。メンバーの心理はさまざまです。失敗させないように、トラブルは小さなうちに早めに手を打つことが大事です。

テーマ15：叱った後は必ずフォローする

怒ることと叱ることとは違います。叱るのはメンバーのためです。しかし、人格を否定するような叱り方はいけません。パワハラになるような叱り方もいけません。怒ることは気分で自分だけのために出る言葉ですが、叱るということは、メンバーを育てる目的があってのものです。

本人に反省させるため、まず考える時間を与える。その後に、信頼できる年配者か監督者が本人と本音で話すやり方もあります。叱った後に1日考えさせて、なぜ叱られたか、その意味がわかっているのかを、理解している他のメンバーに確認させるか、また、監督者が直接確認するのかはどちらでもよいと思いますが、なるべく監督者自身がよいでしょう。他のメンバーに確認させたときは必ず後で監督者が再確認してください。なぜ叱られたかの意味が伝わったかという確認と、嫌いだから叱ったのではないことを伝えるために、じっくり話し合うことが重要です。

安全や防災関連のルールを守っていない時は厳しく叱ってください。そしてなぜ守らなかったのかを、本音で聞いてください。改善すべきところはルールも含め、しっかり改善してください。そして、なぜ守らないといけないかを教えることも重要です。これはマンツーマンでのコミュニケーションでないと意味がありません。

テーマ16：トラブルの原因が理解しにくいときは必ず再現し検証しごまかされない監督者に

メンバーが問題を起こして報告してきても、ルールを守っていませんでしたとは、なかなか言いにくいのが人の心です。つまり問題が発生したときは、必ずなぜなぜ分析して原因を摑まないといけません。対策が立てられないからです。

ある日メンバーが充電するためにバッテリーを交換中に落としましたと報告してきました。それで、報告してくれてありがとうとお礼を言い、どんな手順でやったか教えてほしいと確認すると、標準通りにやりましたと返ってきました。「おかしいな？　レールから外れないと思うけど」と思って、再確認しましたが同じ答えでした。では、今から現場へ行って再現しようと言って、現場でメンバーに実際にやらせました。バッテリーを落としてもよいのでと言い、やった通りにやらせました。何回も乱暴にやっても落ちませんでした。そこでやっと本人はすみません、ストッパーピンを入れていませんでしたと謝ったのです。

このようにメンバーの中には自分を守ろうとしてウソをつくときがあります。自分が悪い場合ウソをついてもわからないと判断したら正直には報告しません。それが人の心理だと思います。監督者が原因がおかしいなと思ったら、再現テストすることが非常に大事です。そうしないと事実ではないものを事実にしてしまうからです。これをすることで、ごまかしのきかない監督者に近づいてきます。なぜなら、メンバーはウソをついても必ず確認されるので、ウソをつかなくなってきます。ウソに振り回されなくなってきます。おかしいと思ったらすぐに再現実験です。試してください。

テーマ17：毎日の仕事内容や自分自身の行動を振り返り見直す習慣をつける

必ず、毎日の行動を振り返ってください。振り返ることで、言葉で言ったことと行動が同じだったか、今日のトラブルやその対応について正しかったのか、もっと早く対応できなかったのかや、強く叱らなかったか、パワハラみたいなことを言わなかったかなど、見直す点がわかります。また、メンバーの一人がなぜ特定のメンバーと仲が悪いのか、メンバーが今日も安全に楽に仕事ができたのかなど振り返ることで、疑問を推測し確認し解決し、反省することで、対策案や自信が出てきます。それがこうあるべきという信念につながっていきます。また疑問が解消できないときは、本人や他のメンバーと話し事実を確認しましょう。そうすることで、言葉で傷つけたのかもしれない、また人前で言うと彼はプライドが高いので傷つきやすいとか性格が見えてきます。性格を掴むことで今後のメンバーの配置や小集団の編成に役に立つことでしょう。自分自身を振り返り次はどうするかを考え、反省し次の行動に移すことこそが、自分自身のレベルを上げることだと思います。

過去を振り返ったときに、あのときは判断をするのが遅かったなあ、メンバーをバタバタさせたなあと、思ったことはありませんか。しかし難しい判断ほど遅くなるのは当然です。こういう場合は、業務フローを作成しておけば誰でも的確に判断できるようになります。時間や頻度、報告の可否や判断基準を明確にして作成しましょう。

例えば機械が停止した。早く稼働させたいが、何が原因かわからない。このときに何がポイントになるかが問題です。どのくらい停止するのかわからないときは減産を心配すると思います。そのときは他の機械で挽回ができないだろうか、他の機械が同じタイプのものを生産していない場合はどうするか、同じタイプを生産するのに何種類の治具《じぐ》を替えればよいか、また生産するまでに替える時間はどのくらいか、何人でやらせるかなど判断が複雑になってきます。お客様に納品する量が少なくなれば大変なことです。在庫も確認しなければなりません。つまり余裕のある機械を探し、不足分を補う判断を下さないといけません。

この経験を業務フローへ入れて作成すると次からは早い判断が下せ、新人のメンバーもそれを見て実践できるようになります。手順を決めて判断が必要なところは判断基準（時間、回数など）を入れる。報告する上司がいればそれも入れて作成していけば判断も早くなってきます。その業務フローも、やりながら見直していけばさらに良くなってきます。これは生産だけでなく品質、環境、安全、防災などすべてに当てはまります。簡単なものから一度作成してみてください。

テーマ18：失敗を報告してきたメンバーは叱らず必ず褒める

人は、自分が標準やルールを守らないで物を壊したり、不良品を作ったりしたら報告しにくいのが現実です。しかしそれをわかって正直に報告してくる勇気は大変なことです。そうしてくれることで発生した理由、状況がわかれば、改善できるからです。仲間のメンバーに同じ失敗を繰り返させないことができます。その勇気を褒めてください。

ここで叱ってしまうとどうなるでしょう。どうせ正直に言っても叱られるだけだから、報告しないほうがよいと、誰でも思います。こうなると対策が立てられず現場は乱れてきます。それが急にはならず徐々に自然と変化してくるのです。気づいたときには安全柵やカバーの変形、部品置台や機械の破損へつながり、現場は段々と汚くなってきます。報告しないので誰がやったかもわかりません。

これが、現場を見ればその工程、さらには工場のマネジメントがわかるということです。この現場はメンバーにきちんとルールを守らせているか、守らせきれていないのかが実態として現れ、監督者や上司のマネジメント能力が現場で証明されるのです。

テーマ19：良いことも悪いことも「見える化」

人は頑張ったことは評価してほしいものです。だから安全面、防災面、品質面や、生産面、環境面などいろんな指標があると思いますが、ボード化したり、パネル化したりして、個人別や小集団別に「見える化」すると、自然とモラルは上がってきます。そして例えば部門別に上位3位以内を表彰し賞品を出したりするともっと効果的でしょう。このときに重要なのが、成績の悪いメンバーをどう育てていくかということです。その作業状況を分析して教育することもひとつの手段になります。人は悪い内容で自分の名前が上がることをものすごく気にします。例えば担当車両に名前を入れる、3Sエリアの担当に名前を入れるなど、メンバーの心理をうまく使うことでルールを守るようになり、その結果、現場の姿や指標は良くなってきます。私が「これだ！」と自信を持った事例があります。それは係内の安全衛生委員会でのことです。メンバーから要望を聞く困りごとで、こんな意見が出ました。新品で半年しかたっていない車両のバッテリーが3時間で切れ、昼まで持たないというのです。なんで新品のバッテリーがそんなに早く切れるのだろう。いや、そんなはずはないとよく考えました。バッテリーはその日の昼頃に充電したものと入れ替えなければなりません。意見の上がった班を調べるとある班のメンバーが該当します。そこでわかったことは、前班は年配者で後班は若手の新人でした。私の推測では、たぶん面倒なので年配者がバッテリーを入れ替えていないか、早く入れ替えしているのではないかと思いました。その車両のバッテリーは2台で充電中か稼働中のどちらかしかありません。

それで充電時間を昼休み前後2時間以内と決め、各々ボードを設置し充電時間と個人名を記入するようにルール化しました。しばらくすると効果はすぐに表れました。バッテリーが早く切れるという意見は全く出なくなり、バッテリー液の入れ過ぎで溢れたり、逆に液不足で煙が出ることもなくなり、さらにはバッテリー台車もきれいに並べられるようになりました。つまり誰がその作業をやったかがわかるように、個人別に見える化しただけでメンバーはルールをしっかり守ってくれるようになりました。こんな仕組みを作れば毎回口に出さずとも自然と守るようになります。人は悪いことをして自分の名前が出るのを当然嫌がります。試してみてください。この事例は私がマネジメントに自信が持てたすばらしい瞬間でした。

テーマ20：動かないメンバーを査定で抑え多能化で動かす

査定は正しくつけているといっても、完璧とまではいかないと思います。なぜなら、中には重要な人材がいるからです。その作業はその人しかできないので無視できないからです。だから俺しかできないから異動されないと天狗になり、強気になり結果的に和を乱す傾向のメンバーも出てきます。こうなると正しい査定はできません。私も同じ経験があるからです。

そこでいろいろと悩み解決策を練りました。つまりその人しかできないことを他の人にやらせるために、多能化（一人ひとつの作業しかできない状況から、多くの作業を一人でできるように訓練すること）をやるのです。今まで俺しかできないと天狗になっていた人が、他のメンバーもできると思うと、ひょっとしたら異動させられるかもしれないと危機感が出てくるからです。今までタカをくくっていたベテランの心理が大きく変わる瞬間です。自分自身がいつ配置変更になるかと不安になるので頑張らざるを得ません。行動や言動も含め大きく変化してきます。

メンバーの誰もができる作業にすれば天狗の鼻もすぐに折れます。しかしメンバーの性格は十人十色です。中には動かない年配者もいます。そういうときは、本人と前もって期待していることを話し、わざと月次査定を上げて様子を見るのです。このときにどう変わるかを見るのです。そしてその年配者と本音で話すことが重要です。あなたしか任せられない、メンバーを引っ張っていってほしいなど、しっかり腹を割ってやってほしいことを話すことが重要です。

そうやっていくうちに自然となじんで味方になってくれるでしょう。そういう人が動くようになれば8割のメンバーはついてくると思います。つまり2割のメンバーに特に気を配っていればよいということです。押してもダメなら引いてみる。さまざまな考え方、性格、さまざまな現場、職種があります。失敗してもいいのでどんどん試してください。経験しながら自分のマネジメントの基本を作っておくことが、後で成果となって戻ってきます。

テーマ21：自分が間違っていたら素直にメンバーの前でも謝ることが大事

監督者の判断、指示が間違っていたら素直にメンバーへ謝ることが重要です。これをすることでメンバーは監督者に対しても親近感を抱くようになります。親近感も信頼関係の要素です。ただし、これは最小限にするために間違えないように努力しなければなりません。何回も謝れば信用を失います。メンバー全員の前で謝るときと個別に謝るときを区別することが大切です。信用を取り戻すには数年かかりますが、失うのはわずかな時間です。これは監督者が、毎日作業後に自分自身を振り返ることで、失敗は減ってきます。毎日の見直しをしながら次の一手を考え行動してください。

テーマ22：当たり前のことでも褒める、表彰することが大事

人は誰でも、当たり前のことをするのが非常に難しいものです。誰でも強みはありますが、すべてを完璧に実施するのは難しく、忘れたり、漏れたりしていることが誰にでもあります。これは毎日を振り返ることで、今日はみんなへ連絡するのを忘れていたとかわかってきます。だから当たり前と思っても褒めることが大事です。人は褒められることで喜びを感じ、同時にやりがいも出てきます。モラルが上がる瞬間です。自分自身を振り返ってみてください。上司から行動を褒められたりしたらうれしいはずです。そうすることで、褒められた本人はまた頑張ろうとモラルが上がるはずです。表情には出ないと思いますが、これは誰でもそう思うからです。

「ありがとう」の言葉を忘れずに習慣化してください。

テーマ23：自分と同じ環境だった頃の考え方で説得しない 必ず相手の年代に合わせる

何でもそうですが、過去にやっていたことを、今の環境でやれと言っても、若い世代には通用しません。ある日、正社員登用試験が間近に迫った若いメンバーから髪を少し茶色に染めていますが面接までに黒色に染めないと合格しませんか？と質問されました。私は、今の時代はそれが当たり前と思い、「面接官が髪の色について質問したら、髪の色で性格はわからないと思います。これが今の常識です。黒でなければいけないなら、黒色に戻しますと返答すればよいので、そのまま面接を受けなさい」と答えました。その結果無事合格しました。ある人は髪は黒くないといけない、けじめだと言いますが、不要なお金を使わせないことが大事だと思います。現在の環境に合わせないと後で信用を損ないます。

ただ、これも社内のルールがないからそうなるのです。茶色はよいが緑や青などはNGとかきちんと決めればよいと思います。それくらい常識でしょうと言われても、今は常識がわからない時代です。一度統計的手法のある先生から「なぜ常識を標準作業の手順に入れるのか」と問われたことがあります。常識は誰でもわかっているはずと思っておられると思いました。先生の周りには常識のある人ばかりだったのではないでしょうか。今はこれを手順に入れておかないと若手社員や新人には伝わりません。今の時代はここから教え込んでいかないと常識にはなりません。常識は人の環境や考え方で異なります。常識の基準もわかりにくいし、私はいろんな人とも接し常識のない人とも接してきたので、これからは非常に重要だと思います。

テーマ24：新人の指導には要注意

これは、私の力が及ばず新人を引き留めることができなかった事例です。

一つ目の事例は、まだ入社して6か月くらいのアルバイトのメンバーに朗報が舞い込みました。私は独身の本人を呼んで「他工場への転勤の話が来ており、正社員として転勤できる。条件がよいのでよければ転勤してほしい」と話しました。私は入社して4～5年たっても正社員になれない人もいるのでよいチャンスと本人に説明しました。本人もそのときは喜んで引き受けてくれました。ところが転勤前の訓練期間を過ぎたところで、会社を辞めたいと急に言ってきました。理由を聞いてみると、彼女から転勤するなら別れると言われたということでした。しっかり将来のことを考えてほしい、また大きい会社なら転勤の可能性はある。もう一度考えてほしいと話し込みました。しかし、今が大切なのでと言って、残念ながらその新人は退社しました。やはり今の若い年代は今を精一杯生きたいと思っているんだなぁと後悔しました。

2つ目の事例では、正社員になった優秀なメンバーが、急に辞めたいと言い出しました。これは友人関係です。友人は残業のない会社で自分の時間をしっかり作りやりたいことをやっている。この会社は残業もあるし夜勤もあり自分の時間が作れないということでした。親からも何とか辞めないようにお願いしますと頼まれました。そこで、彼と仲の良いメンバー、ベテランも同席させ将来の話、親元を離れて暮らすと費用は幾らくらいかかり手元に残るのは幾らになる、将来は結婚して子供もできて洋服、教育費用も掛かるがどう生活していくなどいろいろと説得したのですが、引き留めることはできませんでした。

今の若い人は先のことは考えず、今を楽しく生きることを考えている世代で、いくら説得しても自ら経験してわからせないといけない問題だなぁと痛感させられました。こういう場合は、常日頃から失敗した事例を話しておかないと歯止めが利かないと後悔したものです。

テーマ25：一人が知らなければ、数人は知らないと思え

しっかり教育したつもりなのに知らないのかとか、なぜ覚えていないのかと思ったことはありませんか？　人は教育を受けているときに、他のことを考えたりします。つまり緊張している時間は持続しない、集中力は持続しないということです。私は年配者、若手でもわからないと思ったことは、何でもいい、恥ずかしくないので聞いてほしいと何度もメンバーへ伝えました。するとある日、ベテランが恥ずかしいことだが教えてほしいと、正直に相談に来ました。答えに納得した後に、誰もすべてを知っている完璧な人はいないので恥ずかしいことではないと伝えました。そうすると他のベテランも相談に来るようになりました。私はこのときに一人が知らなければ数人は知らないと、特にベテランの人は、自分が知らないことを他のメンバーに聞くと恥ずかしいとか、プライドがあるので誰にも聞かず仕事をしていることがわかりました。必要な知識がわからないまま仕事をすることが非常に怖いことをここで痛感しました。

テーマ26：知識が身についたかは現場で確認する

知識が本当に身についているかを現場巡回時に確認することが重要です。現場の状態を見て、不安全状態があれば質問し、その件に関して教育した内容のフォローをすることです。現場の実態と教育した結果の差を自分の目で見ることです。これを繰り返すうちに良くなってきます。

なぜ整理が悪いといけないのか指導することも大事です。もし作業中に火災が発生し停電などになればどうなるか？　慌てて避難するので台車がはみ出していれば当然強い力でぶつかります。二次災害が出るということです。土間の傾斜があるところに台車を置いてもし誰かが当たったら台車はどうなるか、転がる、転がって人に当たればどうなるかなどしっかり教育することです。

数人確認すればまた課題が出て理解していないのか、理解しているがやらないのかわかります。課題はすべて現場が教えてくれます。理解していれば後は簡単です。カメラを設置したり、いろいろな確認方法もできます。但しカメラを設置する場合はメンバー全員への承諾を取ったほうがよいと思います。品質やトラブル、発火などが起きればそれをカメラで検証することができるのです。カメラの情報によってメンバーを助けることができます。

テーマ27：お金の取り扱いには十分注意

会費や改善提案報奨金、交際費、などの使い方には十分気を付けることが大事です。お金の問題で懲戒処分された方は、過去から現在までに山ほどいます。残念ながら人はお金で行動も性格もガラリ変わってしまうということです。今までの事例では、メンバーではなく監督者自身の使い込みが多く発生し懲戒処分で解雇や降格が出ています。

例えば会費を預かっているとしましょう。毎月メンバーからお金を集めています。今回の飲み会は会費から出そうと決まりました。銀行からお金を余分に下ろしてきました。飲み会が終了しお金を払いました。次は二次会に行きました。二次会は個人払いです。ちょうど2万円余っていたので、会計は自分のお金を出さず会費から6000円払いました。これを何度も繰り返すと自分の金を使わずに会費から使った方がよいので、宴会分をプラス6000円にすればいいやと悪知恵が働いてきます。これが人を陥れるお金の魔術です。これを繰り返してそれが当たり前のようになり、会計報告もしなくなり、メンバーから会費の通帳を提示してほしいという意見が出て、初めて本人は我に返り使い込みという結果が明らかになります。そのときには遅いのです。通帳のコピーを毎月提示させ、メンバーへ会計報告しなかったという違反です。毎日行きたい飲み屋があればすぐにはまってしまうでしょう。

この事例は監督者自身にも当てはまります。メンバーが提案した改善提案報奨金が毎月増え、それを監督者が管理していますが、最初はメンバーも全員参加した飲み会で使っているが、それがだんだん監督者の個人的な飲み会で使い始める、度を越すと、監督者以上の飲み会のたびに報奨金を使いはじめ、それが常態化。提案したメンバーには行き渡らなくなり、結果メンバーも参加するときに残高が少なくなっていることに気付いて問題が表面化した事例もあります。その監督者は当然懲戒処分です。しかしながら、このような事例があるにもかかわらずお金の問題は何度も繰り返されているのです。

一番悪質なのが、すべて交際費でまかなう懇親会などで、数人の部外者の出席者から会費（現金）を受け取ることです。その分の現金を自分のものにして交際費で落とせばよいのです。また、交際費でまかなうので、金額の記載のない領収書をもらい後で入れるやり方です。悪質なやり方ですが、非常にわかりにくい手口です。

このように誰もがお金の魔術の犠牲となり得ます。メンバーを守るために、お金の取り扱いはしっかり脇を締めて、毎月全員へ通帳の提示、請求書の提示をやらせながら見える化してください。お金の問題は後を絶ちません。優秀なメンバーを失うかもしれません。

一円でもしっかり管理してください。

テーマ28：酒の席に女性を誘うときは女性が本当に行きたいかを確認することが大事

お酒の好きな女性とて何でも大丈夫というわけではありません。特に女性は上司から誘われると用事があっても断ることができません。それだけ繊細なのです。これが常態化していつも参加するので毎回誘う。女性は断れない。これが続くと女性は悩み、酌ばかりさせる上司に嫌気がさし、嫌悪感がつのって結果的にパワハラにつながってくるのです。特に上の人ほどそうなりがちです。

女性を誘うときは必ず本人の意思を確認することが大事です。用事があれば参加しなくていいです。強制ではありません。自由参加です。参加しなくても仕事に影響が出ることはありません、とか連絡するのがよいでしょう。女性はお茶くみとか宴会要員ではないのです。相手の気持ちになって考えてください。誘ったときの表情なども見てください。行きたくないような反応であれば、すぐに「大丈夫、用事があれば参加しなくていいですよ」と伝えることも大事です。飲み会が好きな女性は、後からでも出席できますと連絡があるはずです。同じ職場にいれば反応でわかると思います。

テーマ29：相談箱（目安箱）などの設置で未然防止

皆さんは、メンバーが報告してくる分だけ対処すればうまくいっていると勘違いしがちではありませんか。ハインリッヒの法則でいくと1：29：300、つまり1件の大きな問題の下には29件の小さい問題が隠れている、またそのギリギリで問題になっていないヒヤリ事象が300件あると思ってください。報告は氷山の一角なのです。メンバーの中にはいろいろな性格があり、言いたいけど言えない、言ったら必ず後でバレるとかネガティブに考える人も大勢います。他のメンバーを自分が陥れたくないという感情が変わらない限り報告はしません。したがって、監督者自らが問題を探しにいくことが重要です。

その方法のひとつとして誰でも投書できる相談箱の設置があります。歩行通路や、トイレの横などに設置し情報を集めるのです。しかし、投書した本人や他のメンバーに気づかれないように調査しなければなりません。そこが一番難しいポイントです。大騒ぎした情報は入らなくなります。違う内容で問題を発見したようにしたり、巡回で発見したとかで相手に連絡することが大事です。これはコンプライアンス問題からメンバーを助ける手段になると思います。ただし、誰にもわからないように調査し事実を確認し、対策を取ることが重要です。

困りごとは必ずあります。相談箱を利用した調査は上司がやると効果があります。監督者自身がわからない困りごとや、対人関係も見えてきます。しかしこれは最初だけで、あくまでメンバーとの信頼関係ができるまでです。

テーマ30：メンバーの性格を掴む

現場で働くメンバーの性格はさまざまです。したがって、監督者はそれを見抜いていかなければなりません。

・責任感がどれくらいあるのか
・リーダーシップがどれくらいあるのか
・協調性がどれくらいあるのか
・個性はどうか、プライドがあるか
・自分自身のことだけはしっかりやる
・上司には誰でもイエスマン

など、さまざまな着眼点からメンバーの性格を把握しなければなりません。こんな場合は小集団にテーマを与え問題を解決させていくとよく性格が出てきます。

まず個性派を小集団リーダーにと依頼します。メンバーは自分の思っているメンバーを入れます。知識、協調性、責任感、プライドを持ったと思う人を決め1グループを3から5名くらいで編成します。監督者は目標を決め達成するために、小集団別にスモールテーマと納期を与えます。それを週1回から2回実施していきます。わからないことは何度でも聞くように連絡します。そうすることで、自然と進んでいく小集団と全く進まない小集団、進んでいるように見えるが中身が薄い小集団など、バラバラになります。しかしそれは初めてやることなので当たり前のことです。それを繰り返していくと、わからないときはすぐに相談に来るリーダー、他のメンバーがやらないのでリーダーが一人でやっている小集団、適当にやっている小集団、さまざまな反応が生まれてきます。このようなときにその小集団のリーダーを呼んでなぜ進まないかを確認するのです。

つまり責任感が薄いかメンバーに協調性がないのか、リーダーシップがないのか、ということをそこで確認するのです。叱るのではありません。しっかりと、なぜかを聞いてアドバイスするのです。そうすることで、各々メンバーの性格が少しずつ見えてアドバイスがしやすくなり、配置やメンバー編成も良くなってくると思います。最初はうまくいかなくても、この相談やアドバイスが後の信頼となって戻ってくるのです。

個人個人の性格を見たい時は3Sの清掃が一番です。自分の工程や事務所をすべての人員で分け、個人担当の範囲を決めてマップ化していきます。これを、5分間清掃として実施し、監督者は最終日までに確認します。やっていないメンバーときちんとやっているメンバーに違いが出てきます。特に人がめったに行かない場所ほどハッキリと性格が出てくるでしょう。但し1度だけではいけません。やっていないメンバーには、リーダーシップがない、責任感がない、プライドがない、協調性がない、とすぐに性格を判断してはいけません。やり方がわからなかったのかもしれません。監督者へ聞こうと思ったけど機会を逃したのかもしれません。このように話し込み、要望に応えてしっかりメンバーの性格を見抜いていくことは監督者として統率していく上で非常に重要になります。

メンバーが多い監督者ほど苦労していると思います。但し、イエスマンは要注意です。自分の意見をハッキリ言わない、言葉を合わせるだけ、上司を陰で接待する。送り迎えを喜んでするなどのイエスマンは要注意です。このようなメンバーは上司が変わってもそうするのです。これは人の心理です。上司の立場から見るといつも自分に合わせてくれる人、何でも要望に応えてくれる人がいると、情が移り信用してしまいます。なぜなら、いろんなタイプの人と付き合った経験がないからです。人はいざというときに本音を出すものです。普段は理性を働かせていますので出しません。逆に試してみることも重要です。答えがすぐに出てきます。その上で性格と心理を掴めば誰でも監督者としてうまくやっていけます。

今はコンプライアンスの中にさまざまなハラスメント防止や、ＬＧＢＴなどといった多様性の尊重があります。しっかり講習なども受けて理解し、ここまでなら許せるがそれ以上はＮＧ、こういう場合はこうした方がよいなど事例を挙げて教育し全員が失敗しないように育ててください。そして監督者も当然自分自身を守り、自信を持って取り組んでください。

テーマ31：メンバーの変化を見逃さず対処を

メンバーが倒れたり、気分が悪くなったりしたときに「しまった」と、後悔したことはありませんか。そういえばあのとき気分が悪そうな顔をしていたとか、目がトロンとしていたとか、なんか元気がないなあとか思いながら、メンバーと話さなかったことはありませんか。こういうことは監督者ならあると思います。なぜなら仕事やほかのことで頭がいっぱいで忘れてしまうのです。

そうならないようにするためには、例えば睡眠はとれたか、食事をとったか、などチェックシートを作り自己申告と監督者自身がこの変化を確認するようにします。悩みごとは自己申告はできないと思うので、後で本人だけに確認することも必要です。管理監督者であればこれが結果として重要になってきます。だからメンバーには十分気を遣ってください。メンバーが仕事をしてくれて会社は成り立っています。メンバーをしっかり見るのは、出社してから帰るまでです。

・挨拶の声の大きさやトーン　食事をしていない、睡眠不足、心配ごと等
・顔の表情（明るい、暗い）　睡眠不足か心配ごと等
・視線（眠そうな目）は睡眠不足
・しぐさ、姿勢（うなだれている）　心配ごと
・話しているとき言葉がポジティブかネガティブか、心配ごとなどでヤケを起こしていないか
・話しているときに、メンバーの目が左側にいく
・会社に電話が頻繁にかかってくる、同じ人からでなく代わりながらかけてくる場合（お金のトラブルなど）

プライベートな問題と思ったら、メンバーを呼んで二人きりで話してください。ただ、話しているときに視線やしぐさに注意して、事実かどうかは確認してください。目が左右に泳ぐときはウソが多いと言われています。しかしこれが100％ウソとは限りません。そういう場合、何回も確認するうちにつじつまが合わなくなってきます。

このようにメンバー一人ひとりの状態を毎日の朝礼や点呼で確認すると、災害やトラブルに事前に役に立ちます。そして該当する本人を呼んで確認することです。朝食をとっていなければ、栄養補助食品などを食べさせることも良いと思います。また睡眠不足や心配ごとで危険と思ったら違う作業をさせることです。これは非常に大変なことですがメンバーの日頃の健康管理は、躾《しつけ》です。慣れるまではチェックシートを作成したりしてメンバーと確認しながらやってください。すべてはできないと思いますが、こういう事例をきっかけにメンバーと共有化を図ったりしてメンバーを守ってください。業務フローなどを作成するとメンバーに何かあっても適正な処置ができると思います。

テーマ32：直接的、間接的に叱るは性格で使い分ける

皆さんは毎日の朝礼のときに、特に悪いことがあった際に、みんなの前で本人の名前を出していませんか。これはプライドの高いメンバーであれば逆効果になります。特に年配者となれば大変です。こういうときは名前を出さずに報告し、直接現場で1対1で注意することです。また、何度も失敗するメンバーもいますので、そのメンバーには悪いですが、時にはそのメンバーの名前を出して、他のメンバーが失敗しないようにするやり方も重要です。一人の事例を出して全員へ注意を促すのです。プライドの高い本人には、気を遣ってくれていることは十分理解できると思います。それで信用を取り戻したら、すべてのメンバーの名前を平等に出すことができてきます。

Part 3

メンバーを成長させる

テーマ33：現場中心のメンバーと机上中心のメンバーの教育方法に工夫を

ある日のこと、現場のメンバーが決められたことを守らないという事案が発生しました。どこの部署でどんなルールに対してなのかと確認したら、上司が認めていない作業を行ったということでした。それを聞いたスタッフ出身の上司が「なんで現場はルールを守らないのかね？」と不思議がっていました。私はそれを聞いて愕然としました。なぜなら、現場で作業に集中していると忘れやすいのです。メンバー全員がすべてのルールを守って作業できるなら上司はいりません。人はミスを犯します。完璧な人はいません。やはり現場のメンバーとコミュニケーションが不足し心が見えないのだなぁと痛感しました。これでは現場のメンバーを統率できず、何が正しいのかわからず、判断基準も見えず、逆にごまかされ、結果的に間違った判断を下してしまいます。

工場で同じ教育をして、スタッフが理解しているから現場のメンバーも理解しているはずと勘違いしていませんか。スタッフ出身のメンバーと現場出身のメンバーを教育、指導し、まとめるのには、育った環境に違いがあるので簡単にはいきません。スタッフ出身のメンバーは、机上での作業が多く、教育なども同じ環境なので、ほぼ理解できます。しかし現場出身のメンバーは、いつも体を使いながら安全や防災そして品質に気を遣い、結果として生産量や産廃量などに神経を使いながら働いているのです。毎日怪我をしない、品質規格に合っているか、生産量は標準時間通り、納期通りにできているか、不良品は出ていないだろうか、この部品、材料は規格内か、チョコ停が出ているがなぜだろうか、上司に報告しようか、などさまざまな環境に注意を払い、自分なりに判断しながら仕事をしています。だから、教育という言葉に抵抗があり、話しただけではすぐに伝わらないものです。

現場で仕事をするメンバーはいろんな性格を持ち集中力もバラつきますから、1回言ってもなかなか伝わりません。つまり作業前に教育すると、すでに自分の作業のことを考えながら聞いているからです。集中力が途切れた状態で聞いています。複雑な仕事ほど神経を集中させながら毎日繰り返しやっているのです。神経をすり減らした後、さらに教育といってもまた集中させることは無理があります。ノウハウのある作業、経験値の必要な作業に携わっている人は特にそうなってくると思います。

これを標準作業に落とし込めるとよいのですが非常に困難です。

わかりやすい教育は同時に教育してもよいですが、わかりにくい、つまり初めての教育は分けてしたほうがよいのではないでしょうか。そして質問をしたり、解答用紙を採点したりすると、理解しているところと理解していないところがわかってくるのではないかと思います。強みと弱みです。弱みをわかりやすいように図解化したり、部分的に再教育すればよいと思います。そうしていくことでスタッフの考え方、現場のメンバーの考え方も少しずつわかり、今後メンバー全体をまとめる力になっていくと思います。教育方法、時間、人数、テストなどを含め、やり方を変えながら進めていくと逆にわからないところが見えやすくなると思います。

理想は、作業時間内で教育する方法です。これをやれば今から教育と思い現場のことは忘れ、集中力も増してきます。これができれば理想的ではないかと思います。

テーマ34：教育し行動できるメンバーへ

最近は監督者やリーダーが若返り、コミュニケーション能力が不足し、経験の少ない監督者が増えつつあります。彼らは、仕事をうまく進めようと気持ちが先走り、余裕がなくなって失敗して、自信を失っています。つまり結果を優先するあまり、結果のみで一喜一憂し、その過程において現場で働く人を育てるコツやノウハウがわからず、現場で作業する人やメンバーに任せっ放しにしている、そんな監督者やリーダーを今まで見てきました。これではメンバーも監督者自身も育ちません。

メンバーを育てるには、まずメンバーに知識を身に着けさせ、それを行動に移すことができるようにすることです。しっかり理解しやすいように咀嚼しながら教育すること、そしてなぜそうしなければいけないのか理由をしっかり教え込み、その通りに行動しているかを陰で確認することが大事です。行動に出ていなければなぜできないのかをメンバー本人とじっくり話し、作業方法を改善したり標準を変えたりして行動できるメンバーに育てていくことです。

テーマ35：説明はなるべく図解化して説明

毎日の朝礼では、重要なところは図にして説明することが一番わかりやすいと思います。すでに電子化され、それを映して説明しているところもあるかと思いますが、事務所以外での説明は難しいので、ホワイトボードに書いて説明することも共有化のひとつです。

朝礼のときにすでに今日の作業のことを考えているメンバーもいます。そういうメンバーは全く記憶が残りません。こういう場合は職種別と全員への連絡を分けるとよいでしょう。目的はいかに全員が理解するかです。実際に一人ひとりに聞いてみることで、朝礼時は私語をせずしっかり聞くようになります。

テーマ36：問題に対しすぐに答えを聞いてくるメンバーにはすべてを教えない

問題を出したらあまり考えずにすぐに答えを聞いてくるメンバーはいませんか。そういうメンバーは早くやることだけを考えていますので、よく考えさせることが大事です。この場合はヒントを教えることが重要になります。そしてメンバー全員でよく考え、結果がついてくるようになると、問題解決に達成感ができ、やりがいが出てきます。こうなると自然と新たな問題に取り組もうという気持ちになります。つまり答えを100％教えては人は育たないということになります。メンバーが壁にぶち当たったときに、監督者はヒント、アドバイスを与え達成感を与えるのが仕事です。

テーマ37：部下を守る前に自分自身を守る

監督者はまず、自分自身を守ることが一番です。保身とは全く違うことです。つまり会社の決まりを守ることです。ルールや業務フローなどを基準に部下を守ることです。

例えば、仕事中に怪我をしたとメンバーから報告を受けました。この怪我が2回目の発生とします。こうなるとまた自分のところから発生した、上司から叱られる。監督能力を疑われるなどの不安に悩み、隠そうとするもう一人の自分自身が悪魔のささやきをしてきます。二人しか知らないから、被災者の査定も下がるからとか、楽なほうへ逃げようとする心理が働いてきます。誰しもそう思ってしまうでしょう。しかしそれを隠してしまうと、隠したことを定年までおびえて働かなければいけないことになります。もし隠したことが明るみになれば罰せられます。メンバーを守ったつもりが結果的に自分自身も守れなかったということです。

こういうときに勇気はいりますが、どんなことがあっても必ずルール通りに報告することが大切です。なぜなら怪我をした本人がいずれ親しい仲間に話してしまうことは十分にあるからです。仲間がそれを聞いて上司に報告するかもしれません。どんなに辛いこともそのときに報告すべきです。正直に報告すれば自分自身の気持ちが楽になります。なぜなぜ分析もできますし対策も打てます。その結果他のメンバーも同じ怪我をしないということになり仲間を守ることになります。

怪我は大きいか小さいかは発生しないとわかりません。重篤災害につながる結果となるかもしれません。報告は自分自身の身を守るということです。発生したことは上司に正直に報告し、部下にも起きたことは正直に報告するように指導しましょう。報告をおこたったことで失敗した監督者をイヤというほど見てきました。これをしっかり守れば現場で働く人もわかってくれます。そして監督者はその日一日の自分自身の行動を必ず振り返ることが一番大事なことです。

・自分自身の行動は今日は良かったのか
・自分自身の判断は遅くはなかったか
・メンバーにきつく言い過ぎなかったか

・なぜ今日はこんなにトラブルが多かったのか
・不具合は少なかったかなど

４Ｍに起因する問題はなかったか、一日を振り返り反省し、明日からどう対応していくか計画することが次の一歩につながります。反省は非常に重要です。人は反省しないと進歩しません。

テーマ38：3Sは行事があるときだけでなく毎日の普段着で実施

3Sは基本です。

しかしながら、現状はいつも、お客様や上層部の方が工場を見学に来るときは全員残業で、つまり基準外の3Sをします。不要物はないか台車はきちんと並べられているか、通路のラインの表示の消えかけはないか、土間の凹みや塗装の剝げはないか、ゴミは落ちていないかなど点検し補修します。土間の塗装やラインの引き直しなど3日くらい前から残業で実施します。

私は毎日少しずつ3Sすれば、基準外も一斉にかけずに済むと思います。基準外の習慣が3Sを維持させない要因になっているのです。つまり運搬車の凹凸や塗装剝げ、土間の塗装やラインが剝げたりゴミが落ちていても、どうせお客様や、上層部が見学に来るときにやればいいとメンバーの誰もが思ってしまっているのです。

ある日、危険物施設の3Sチェックを行いました。それを見ていたメンバーが20分後くらいに回る予定の施設の担当者に、いまから行くよと電話していました。その施設はきれいに3Sできていました。それでその危険物施設を1週間後に抜き打ちで確認したところ、道具もゴミも散乱し放題でした。巡回する時間がわかればそのときだけ3Sすることで目を逃れていたようです。これではいくら巡回しても実態はわからず、いつ発火するかわかりません。

そこで私は、普段着で普段通りやらせようと3S区域をすべてのメンバーで分割させ担当を決めました。汚れ取りはいつやるのかは、掃除した後に毎日確認し、ゴミがたまる周期をより安全に取り5日目とか10日目とか20日目とかに決めさせました。また、運搬車も塗装をすべて剝いで再塗装しました。これも担当のリーダーを決めて管理させ、誰の責任かすぐにわかるようにしました。こうしているうちに毎日少しずつきれいになりゴミも見当たらなくなりました。裏通りを見ても明らかに良くなってきました。

ある日のこと、いきなり前触れもなしに上司2名が現れ、今からこの工程の3Sをすべて確認すると言われました。通常はないことですが、それでも私はどうぞどこでも見てくださいと返答しました。上司は不要物がないか隅々まで探していましたが、当然何も出てきませんでした。なんでうちだけ来るの?とは思いましたが、3Sはきっちり普段着でやっていれば誰がいつ来ても心配はいりません。私はこれがマネジメントだと思いました。これを維持しながら表彰制度を加えると、もっと良くなると思います。

テーマ39：3Sの実施方法

3Sはただの清掃と思っていませんか？　3Sは非常に大事なもので、企業の存続を左右するのです。整理から始まり、整頓そして清掃となります。

皆さんの現場に不要なものはありませんか？　不要なものが多いと置き場が混在し良品、不良品の判別がつけにくくなります。また、積み重ね置きが発生し探すのに時間がかかったり、重ね積みしていたものが落下したりして、二次災害が発生しやすくなります。必要なものと不要なもの、また判断がつけにくい不明なものに分けた後、不要なものは廃棄し、不明なものは上司に判断してもらい、いつまでに廃棄するのか決めるのです。そしてどれだけ廃棄したのかを共有化する。それを繰り返すことで空いたスペースができ、さらに物が置けるようになり整理できます。メイクスペースです。3Sの整理、これをまず一番先にやらないと必要なものを置く場所もありません。

次は整頓です。必要なものがどこにあるか一目でわかり、誰でもすぐに取りやすく、また元に戻しやすくすることです。

例えばスーパーの棚ごとのカンバンを見るとわかりますが、この棚にはどんな製品が置かれているかわかりやすくなっています。コンビニの飲み物を見てください。1本取れば自然と残りの在庫が手前に出てきます。誰も動かさなくても、後方に在庫の本数があればよいだけです。非常に良い改善だと思います。使う人にすべてのものが見える化され、誰でもそこに何があるか一目でわかるようになっています。これが整頓です。

現場はすぐにそうならないと思われているかもしれません。しかしよく見てください。台車置き場は表示されていても台車がはみ出す大きさだったり、ラインはあるが表示がなく何の置き場かわからない、置き場はあるが3列のため奥側は取り出すのに時間がかかるなどの事象はありませんか？　あるメンバーが置き場所が満杯だったので違う場所に置き、必要なときに、ある部品を探すのに二人で1時間以上かかったとかで機械を長く止めてしまったということがありました。こうならないように、まず整理してメイクスペースを作って置き場を明確にし、そこには何のサイズがあるか一目でわかるように表示することが大事です。

新人でもどこに何があるかすぐにわかり、在庫の切れがないように担当者、発注期間を含めた最低在庫を表示し管理することが重要です。また、棚では重いものは下段に置き、軽いものは上段に置くのが安全です。重いものを上段に置くと地震や取り出すときに落とせば災害になります。災害になる可能性、確率を下げることも大切です。

次は清掃です。清掃の目的は、床や機械などを通常の姿に戻して、異常を見つけることです。例えば機械を清掃しているとき、オイルの汚れで見えなかったフレームの亀裂や取り付けボルトがないなどがわかります。床が汚いとボルト、ワッシャーなどの破損で落ちたものが見えず、製品に異物として入ったり機械が後で破損したり故障してしまいます。床がきれいなら誰でもすぐにわかりますから、すぐに報告しトラブルを未然に防止できるのです。

また、掃除するだけでなく、ゴミとなるホコリやグリースや、オイル、水などがどこから漏れているのかを探すことが重要です。例えばオイル漏れの場所がわかっても直せない場合は応急処置としてオイル受けを作り、それをバキュームで吸って缶を見える化し、上限ラインに来たら廃棄することを基準にすれば楽になります。カバーのサイズ、形など、工夫していけば良くなります。そうしながらトラブルの発生源をなくしていくのです。発生源の対策までには時間がかかりますが、その間清掃しやすく改善しておくのです。

テーマ40：ＫＹＴ（危険予知訓練）

ＫＹＴ（危険予知訓練）を３Ｓにたとえて訓練していくと、何が危険なのか予知できるようになります。これも訓練次第です。これが身についてくると事前に危険を察知し、危険を回避する行動が取れるようになります。そうなれば災害を起こす確率は低くなります。

最初は机上で実施し、みんながある程度危険を見極めて要因を出し、危険回避できるようになれば、その後は必ず現場で実施することが大事だと思います。なぜなら、机上で件数を増やしていくと暗記するようになり、記憶に残らなくなるからです。現場でやれば実態を思い出すので、何かに気を取られていたり、気が落ち込んでいたりするときなどでも、少しでも記憶に残って思い出し、危険を回避できる行動を取るようになって、安全の確率は高くなります。

ＫＹＴも３Ｓもなぜ必要かはこれだけではありません。安全、品質、防災、環境面すべてにかかわるからです。

安全でいえば、置き場を明確にし通路をきちんと確保していなければ火災になったときや、災害が起きたときに人はパニックになります。そうなると台車が通路や置き場ラインよりはみ出していたらどうでしょう。非常灯のみになるので当然台車に体が強くぶつかり災害が起こります。防災も同じです。可燃物の３Ｓをせずに放置していると、火災になったときに延焼拡大し建屋自体が燃え尽きるでしょう。

品質は整理整頓せずにそのままにしていると、部品が似たようなものなら、間違えて梱包し発送するかもしれません。つまり似ている部品は離れた位置に置き場を決めるなど工夫が必要です。

環境もしかりです。危険物置き場の確保や一緒に置くと災害を起こしかねないものは、ルールを決め別に管理することが重要です。

防災にしても品質にしても環境にしてもＫＹＴは重要です。危険な箇所の図を描いてどこに危険が潜んでいるかをメンバーに書かせます。そして、全員で答え合わせをします。

これを繰り返すことで、なぜ危険か、どんな危険が潜んでいるか共有化できます。さらにこれを繰り返し実施し、ソフト面とハード面に分けて対策案を出していきます。つまり改善のヒントも出てくるわけです。机上ＫＹＴから記憶に残す現場ＫＹＴへ移行し、危険予知を常に忘れないように習慣化することがメンバーの身を守ることになります。これも維持が重要です。最初は危険要因が個人別に何件出ているかも確認し、少ないメンバーは再教育していけば全員のレベルが上がってきます。

テーマ41：救出訓練

安全で言えば救出訓練です。実際に機械に挟まれたり、体の一部がなくなったりしたときに、監督者としてどう対処しますか？　こんなときは訓練していないと何もできませんし、メンバーを救うこともできません。

例えば呼吸していないときはどう対処しますか？　まず顔を近づけ息をしているか確認します。大丈夫ですかと声をかけ口の中を確認し、気道を確保した後、人工呼吸を始めます。それと同時に救急車を手配し、案内係を配置、担架やＡＥＤがあれば持ってくるように指示します。そして口にハンカチなどを当て１回フーッと息を入れます。そして心臓を30回押してマッサージ。これを繰り返します。最近は感染症があるので人工呼吸はしないかもしれません。そしてＡＥＤが来たらすぐ実施します。救急車が来たら消防士の指示に従ってください。これは思い出しながら書いたもので正式なものではありません。一度消防の救急救命訓練の指導を受けるとよいでしょう。

頭部や胸部などが挟まれた場合、手順が早く安全にできないと助けることができません。亡くなる可能性が高いからです。挟まれている状態をまず確認し、どうやってそれを外すかを考えます。まず電源を切りエアーを抜く。このとき被災者の体のほうにさらに重量物の重心が行けば非常に危険です。重心が行かないようにジャッキやライナーを使い、二次災害が出ないようにすることが大事です。エアーを切れば機械はもとに戻ろうとします。これも電磁弁の種類や働きをわかっていないとまた危険です。だからあらゆる状態を想定して救出訓練をしておかないと仲間を助けることはできません。ぜひ消防のレスキュー隊員に相談し、必要な用具の準備や救出訓練をお願いします。

テーマ42：防災訓練

次は防災訓練です。全員で実施する大きな避難訓練もありますが、まずは消火訓練です。火災が起きたときに重要なのは初期消火です。私は以前消火器や消火栓訓練を受けていませんでした。ある日、火災だー、火災だーと叫ぶ声が聞こえたので行ってみると炎が見え、数人がかりで消火栓を使ってすぐに消しました。しっかり見ていましたが、私は全く動けず、非常に悔しかったのを覚えています。

やはり訓練あるのみです。そこで痛感しました。火災も素早く行動すれば延焼せずに早く消すことができます。だから、消火器、消火栓の取り扱いを教育し、消火訓練をしないと、火は消せないと思いました。燃えるものによっては数秒あるいは数十秒で爆発し延焼する可能性があります。延焼したら我々だけでは火は消せません。消防へいかに早く通報するかも重要です。また、初期消火するときに、この場所はどことどこに消火器があり消火栓もどこのを使えばすぐにホースが届くかなども表示しておいたり、教育や訓練を繰り返しやっておかないと素早く実践できません。

避難訓練も重要です。普段から避難場所も把握しておかないといけません。そこに集合し全員の安否確認をします。これも訓練しておかないととんでもないことが起こります。人であれば火を消そうという思いが強くメンバーの誰かが勝手に消しに行くのです。しかし全員避難させることのほうが大事です。消防に任せることが重要です。煙に巻かれて逃げ遅れるかもしれません。万が一に備えて発火場所も変えながら、本番さながらに何回も訓練していくことが、メンバーもパニックにならず落ち着いて避難できるようになるために大事だということを経験から痛感しました。

テーマ43：トラブルは4Mに分けなぜなぜ分析

毎日何かしらトラブルは発生しています。しかしこのくらいは出て当たり前と思わずに、1件1件根気よくつぶしていくことが大切です。

すべては4Mに要因があります。そのうちひとつだけが原因となっていることは稀です。これをしっかり分析しましょう。例えばソフト面では、その原因を定期的に確認する周期や点検方法など標準を作成します。現実と照らし合わせメンバーへも確認することが重要です。ハード対策では設備や設置してある部品を変更、改善する。それがうまくいけば業務フローへ落とし込み再発防止につながります。但し再発防止をしながら兆候管理をしていくのが理想です。兆候をどこで掴むか、何を兆候として決めるのかも難しい問題ですが、兆候を掴むことができれば管理は非常に楽になります。

チョコ停やトラブルは放置しないですぐに復元することが必須です。そのままにしておくと必ず人や物の災害が発生し、品質も悪くなり生産効率も上がりません。原因がわからない時はビデオなどを仕掛けて発生現象を捉えるのが一番効果的なやり方です。そうすることで改善のアイデアはどんどん出てきます。試行しながらしっかり改善することがメンバーを守ることにつながります。あきらめずにQC手法を取り入れながら頑張ってください。改善がうまくいくと仕事が楽しくなります。

テーマ44：ルールを運用する

ルールを作ることはトラブルの再発防止、業務をスムーズに遂行するために非常に重要です。ですが、間違ったルールは軋轢を生み、逆効果になることが多いのも事実です。大切なのは、ルールを作って終わり、ではないということです。この章ではルールを作成するところから改善するところまで、各フェーズで気を付けるべき点を述べます。

ルールは、安全や防災、環境、品質、生産など多方面から決めることが重要です。特に厳しい処分が必要なのは、全部署共通ルールとしてなるべく少なくし、全員が守れるようにすることが重要です。そして、なぜ守らなければいけないのかをしっかり説明することです。朝礼などで毎日朗唱するのもよいでしょう。またテストしてからその部署で守るべきルールを決めていくのもよいでしょう。つまり作業標準の中から抜粋し、カテゴリーごとに守るべき重要なルールを決めることです。

小さな常識の範囲でも抜け漏れの多い場合は、それをルールとして決めるのもひとつの手段です。ただ、ルールをひとつ増やす場合は守られているルールをひとつ減らしたほうがよいです。目的は、メンバーを失敗させないために必要最低限のルールを作ることにあります。

ルールの必要性、背景を教育する

ルールを作成したら、ルールは何のためにあるのか、その背景をしっかり教育することが大切です。過去の災害や品質トラブルなどのデータや、最近多く発生しているトラブル、こんなとき人は瞬時に手を出しやすいといった心理などから、その必要性を説明すること。そしてそれを事務所内に掲示したり、小冊子の配布や定期的なテストなどによって、忘れないようにすることが重要です。それがルールを守らせ、メンバーに失敗をさせないことにつながるのです。メンバーに覚えさせるために、一度試したことがあります。それは、朝礼のとき全員へひとつのルールをみんなの前で説明させることです。そして他のメンバーは質問をするのです。例えば、六つのルールがあって12人いれば12人全員へ一日一人一ルールずつ六つのルールを説明してもらうのです。そうすると、説明の前日にはメンバーは自分の番の質問を想定してわからないところを聞きに来ます。こうすることでメンバーの記憶にしっかり残すことができます。メンバーが努力することで結果につながるのです。一度試してみてください。

ルール違反を犯したときの罰則を決める

ルールはメンバーをいじめるためのものではありませんが、ルールを守らなかった際の罰則は必要です。社外に法律があるように、社内にもルールがあり、それを守るべき必要があるのです。そのためには、罰則がないと人は守りません。人の当然の心理なのです。

ただ、何でも厳罰ではいけません。会社の信用をなくす、あるいは大きな損失を出すようなものは懲戒処分と決まっていると思います。その次の段階で自分のテリトリー内での守らなければいけないルールもあります。ここを罰則として決めるのです。イエローカード二枚でレッドカードや一回でレッドカードなど、サッカーみたいなやり方でも構いません。レッドカードをもらったメンバーは現場から外して、新人教育みたいな感じでコミュニケーションを取り、なぜ守らなかったのか掘り下げ、対策も打ち、反省を促すことが大事です。

私は性悪説でメンバーを守ります。メンバーの多い現場ほど、すべてのルールは守られていないと思います。だからこそ監督者はメンバーが失敗しないようにしっかり確認、指導し守らなくてはいけません。ルールを守らせきれなかったのは、監督者の責任だと反省しながら頑張ってきました。その思いはいずれメンバーに伝わります。長い目で信念を持って頑張ってください。

ルールを守っているか確認する

ルールを守っているかの確認方法にはいろんなやり方があります。

・巡回時に、確認する。

・メンバーから見て監督者がいるかどうかがわからない場所で待って確認する。定点観測などです。

・ビデオを数か所設置する。ただし設置の目的をメンバーへ連絡しておかないといけません。上司へも報告しておくことです。でも、品質を確認するためなら、メンバーは何の抵抗もないでしょう。実際にウェブカメラを設置していて良かったこともかなりあります。不祥事を疑われたメンバーをその画像によって助けることができたのです。

・カメラやセンサーを設置し、センサーが感知したときのみ録画するやり方もよいでしょう。不安全行動も見られます。

ある日、運搬中にフォークリフトから重量物が落ちた事例が発生しました。もし周りにメンバーがいたら当然災害につながります。そうなるとあのメンバーは運転が荒いとかメンバーによっては事実を確認する前から思い込みが始まるのです。しかし実際にビデオが設置されていたので確認すると、運転に異常はなく、運搬中に落ちたものでした。それでフォークリフトを調査してもらうと、フォークの爪の設置部分にガタがあり傾いたことが証明でき、メンバーが悪いのではなくフォークリフトが悪かったことが周知できました。つまりこれでメンバーを助けることができたのです。原因がわかりホッとした事例です。

ルール違反者の罰則と教育指導

ルール違反者が出たとします。サッカーに例えれば、レッドカードです。この場合は、メンバーを仕事から外し、なぜ守れなかったのか、その理由を、1対1で聞き込みながら、これはあなたが失敗しないようにできたルールだということをしっかり指導します。そのとき、本音で話すことが重要です。

それからルールを再教育し、テストも実施し、OKであれば上司と再面談させてルールを守る意志を確認し、現場に戻すのです。そして2週間または1か月のフォロー期間を入れ、違反がなければOKとするのがよいと思います。ルールを守らなかった結果、たまたま何もなかった、軽症で済んだ、重症、最悪は重篤と、さまざまです。

ルールを改訂する

ルール違反者と話しているとき、守りにくいルールだと言われたとします。そういう場合は、しっかり監督者とメンバーで検証するのです。メンバーの心理状態も含め検証し、その結果ルールの文言を変えるのか、やり方を変えるのかはどちらでもよいと思います。要はそのルールが守りやすいかどうかです。守りにくいとメンバーからまた、犠牲者を出してしまうでしょう。監督者とメンバーみんなで検証することが大事なのです。

最後に

私が思うには監督者やリーダーはまずメンバーを教育することが大事です。常にトラブルが発生したら何が原因かを４Ｍに選別することが重要です。これでなぜなぜ分析をしていくと原因にたどりつくことが可能になってきます。それと、リコールや不良品が発生してそれを回収するときに何人が必要で何日かかり輸送代などを含め費用はどれくらいかかるのか、メンバーををある程度は教育しておくべきです。

メンバーが話しにくいことでも素直に聞き、他人に話さない、秘密を守ることに徹してほしいと思います。そして良いことは褒める。表彰することです。一方で甘えないように躾やルールを守らなかったら厳しく叱る。ルールを守らせる基本は厳しさです。なぜ守らなかったのかを聞く。守れないルールは守れるように改善することです。そして研修体制を整えることも大事です。責任感や協調性、善悪、団体行動、思いやりなども含め体験できる研修所があれば、若手からしっかり育てられると思います。企業は人です。自動化、

ＡＩの導入がどんなに進んでもそれを扱うのは人です。トヨタの社長がＣＭで言われるように、私もそう思います。

次は、ごまかされない監督者、リーダーになるように努めながらメンバーを育てることです。これは簡単ではありません。心理を読んでマネジメントするためには、監督者自身が経験を積まないといけません。指示したら、そのメンバーがどれくらい言われた通りにやっているか、自分の目で現場を見なければ事実はわかりません。それを繰り返すことで、メンバーそれぞれの性格が見えてきます。人は、嘘をつきます。それが当たり前なのです。つまり破損させたり、不良品が出たりすると、当然叱られないように、ごまかそうとしてきます。だから原因がわからないトラブルが増えてきます。ここがポイントです。原因がわからないときは関係するメンバーと再現し検証することです。これで原因が絞れてきます。また、カメラを設置したりして、徹底して原因を見つけることが重要です。これを見逃しているとトラブルは増え、仕事に対する厳しさがなくなってきます。

また、悪いことでも自ら報告してきたメンバーは叱らないことが大事です。なぜかというと、人は誰でも間違いがあるからです。監督者やリーダーもミスをします。それを叱るとどう思いますか？　腹が立つ人が多いでしょう。しかし2回同じ原因で失敗したら叱らないといけません。1回目に十分に理由を聞き対策することが大事です。それと、当たり前でも良いことをした人はしっかり褒める。よく見つけてくれた、という報告は表彰するのが重要だからです。これはモラルUPにつながります。叱ると褒めるを、しっかり使い分けてください。それが「小さな問題大きく騒いで共有化 仕組みを作って再発防止」という標語の意味になります（13ページの図参照）。

今までに何をやったかを節目節目に苦しいときこそ振り返り、なぜそうなったのか考えることでそこに反省が生まれます。そして次はどうすればよいかに気づけば、信頼関係もできてくるでしょう。過去に捉われず頑張っていけば後で良い結果につながってきます。そうなると仕事も楽しくなり、やるぞーと意欲も出てきます。

ただし人の心は弱いものです。防御に走ると心が病んできます。ノイローゼの始まりです。食事がのどを通らない。会社に行きたくないなど、どんどんつらくなってきます。こういうときには、私の経験ではありますが、子供の寝顔を見ると、やるぞ～負けないぞ～と元気が出てきました。何をやっても叱るあんな上司に自分の人生を壊されてたまるかと思うことにし、逆に叱られるときはしっかり叱られようと開き直ったこともあります。そして自分の好きな趣味を見つけて、休日にやることです。いろんな趣味もやってみることです。防御の地獄から這い上がることです。自分自身が少しでも動かなければ立ち直れません。

ある本で読んだのですが、運命を1本の木に例えると頂点には幸せが待っているのだそうです。途中には枝の壁があり分かれ道です。楽なほうへ行こうと枝のほうへ進むと、上には登れず遠回りになります。つらいですが、その枝の壁を一歩ずつでも前へ進み壁を破ることが大事だと思います。逃げずにコツコツと前へ進むように仕事をすれば道は開けます。人と比較して、なんだ、困っている人も精一杯生きているのに自分の悩みはちっぽけだなぁと思い、頑張れたことがありました。

皆さん、元気を出して頑張りましょう。

〈著者紹介〉

吉弘たけき（よしひろ　たけき）

1954年生まれ。高校卒業後、会社へ入社。

監督者経験　15年

マネージャー　10年

監督者経験が長かったが、その間いろいろなメンバーや上司と仕事をさせてもらい、自分なりに心理を学んだ。

工場《こうじょう》監督者《かんとくしゃ》が知《し》っておくべき
製造現場《せいぞうげんば》のマネジメント

2021年9月16日　第1刷発行

著　者　　吉弘たけき
発行人　　久保田貴幸

発行元　　株式会社 幻冬舎メディアコンサルティング
〒151-0051　東京都渋谷区千駄ヶ谷4-9-7
電話　03-5411-6440(編集)

発売元　　株式会社 幻冬舎
〒151-0051　東京都渋谷区千駄ヶ谷4-9-7
電話　03-5411-6222(営業)

印刷・製本　シナジーコミュニケーションズ株式会社

装　丁　　杉本千夏

検印廃止

Printed in Japan
ISBN 978-4-344-93584-6 C0095
幻冬舎メディアコンサルティングHP
http://www.gentosha-mc.com/